Teigr yn y Gegin

Hywel Griffiths

Lluniau gan
Brett Breckon

Gomer

Cyhoeddwyd gyntaf yn 2013 gan
Wasg Gomer, Llandysul, Ceredigion SA44 4JL
www.gomer.co.uk

ISBN 978 1 84851 722 6

ⓗ y cerddi: Hywel Griffiths, 2013 ©
ⓗ y lluniau: Brett Breckon, 2013 ©

Mae Hywel Griffiths a Brett Breckon wedi datgan eu hawl dan Ddeddf Hawlfreintiau, Dyluniadau a Phatentau 1988 i gael eu cydnabod fel awdur ac arlunydd y llyfr hwn.

Cedwir pob hawl. Ni chaniateir atgynhyrchu unrhyw ran o'r cyhoeddiad hwn na'i gadw mewn cyfundrefn adferadwy na'i drosglwyddo mewn unrhyw ddull na thrwy unrhyw gyfrwng, electronig, electrostatig, tâp magnetig, mecanyddol, ffotogopïo, recordio nac fel arall, heb ganiatâd ymlaen llaw gan y cyhoeddwyr.

Cyhoeddwyd gyda chymorth ariannol Adrannau Cyngor Llyfrau Cymru.

Argraffwyd yng Nghymru gan Wasg Gomer, Llandysul, Ceredigion

I Lleucu Haf

Cynnwys

Gwrach Cors Fochno

Mae gwrach yng Nghors Fochno
Â brwyn yn ei gwallt,
Mawn o dan ei hewinedd
A'i hanadl yn hallt.

Pan ddaw storom o'r môr
Mae hi'n codi'i phen,
Ac er gwaetha'r gwynegon
Yn ei choesau pren

Mae hi'n gadael ei chartre
Yn y siglen ddofn
Ac yn crwydro'r pentrefi
Er mwyn codi ofn.

Peidiwch chi â meiddio agor
Y llenni, da chi,
Rhag ofon y gwelwch
Ei llygaid gwyrdd hi.

Porthorion

(yn y Llyfrgell Genedlaethol)

Mi fûm yn meddwl ganwaith
Wrth gerdded mewn i'r Gen,
Ys gwn i be ddigwyddai
Pe bawn i'n colli 'mhen.

Yn ceisio cerdded o 'na
Â chyfraith Hywel Dda,
Neu Lyfr Du Caerfyrddin,
Neu gopi o *Which Car?*

A fyddai'r porthor hynaws,
Fel brawd o'r CIA,
Yn neidio'n wyllt o'i guddfan
Ac yna'n gweiddi, 'Hei!'

Neu a fyddai'n codi
Ei lygaid craff o'r llawr
A 'nghyfarch i yn addfwyn,
'Nos da. Pob hwyl i ti nawr.'

Cerdd sgwâr

Cerdd sgwâr yw hon,
Fel croesair, bron,
Pob peth 'run hyd,
Yn gorneli i gyd.

Gaeaf

Glywi di'r glaw
Yn drymio'n drwm?
Yn lliwio'n llwyd y llechi llwm?

Deimli di'r dail
Yn wlyb ar lawr?
Canghennau coed fel esgyrn cawr?

Flasi di ias
Y bore oer
Mewn nentydd llonydd dan y lloer?

Weli di wynt
Yn rhuthr blêr
Yn sgubo cwmwl dros y sêr?

Arogli di'r nos
Yn torri fel llafn
A'r hydre'n dirwyn fesul dafn?

Ceubwll y Diafol

Os ewch chi, ryw nos o hydref
Lawr at afon Alun oer,
Pan fo'r sêr i gyd dan gwmwl,
Pan fo'r niwl yn cuddio'r lloer,

Rhuthrwch heibio hollt y ceunant
Lle rhed y dŵr ar wib, rhag ofn,
Lle mae'r graig yn serth a llithrig,
Lle mae ogof dywyll, ddofn.

Falle clywch chi dincial morthwyl,
Falle gwelwch olau lamp,
Falle glywch chi oglau ffrwydron
Yn y tywyllwch dudew, tamp.

Ond nid oes mwynwyr yno'n gweithio –
Ni fu mwynwyr ers cyn co'
Yn nhwneli Mynydd Wyddgrug
Nac yn tyllu dan y fro.
Felly, ar ryw nos o hydref,
Peidiwch oedi yn y coed.
Ewch yn gyflym oddi yno,
Ewch yn dawel, ysgafndroed.

Sbwbio

A wyddoch be ’di ‘sbwbio’?
(O ydy, mae o’n air!)
Mae ’ngwraig i yn ei ddweud o,
A’i thad, a’i mam, a’i chwaer.

Ai neidio yw e, tybed,
Fel broga yn y gwair?
Neu droelli a chwyrlïo
Ar olwyn fawr y ffair?

Ai chwyrnu’n hir a swnllyd,
Fel tractor neu fel hwch?
Neu sgwennu neges ddoniol
Ar gar mewn haen o lwch?

Ai golchi llestri cinio
Neu dorri'r lawnt neu'r gwrych?
Neu ferwi wy neu datws,
Neu blannu pys mewn rhych?
Os gwyddoch chi ei ystyr,
Da chi, anfonwch air.
Dwi ddim yn deall jôcs fy ngwraig,
Na'i thad, na'i mam na'i chwaer!
Sbwbio

Gwersylla
Mae Mam yn ffysian am y tân,
Dyw'r gwydrau plastig ddim yn lân.
Mae Dad yn clymu'i hun yn glymau tyn
Yn rhaffau'r babell fel Houdini syn.
Mae 'mrawd i'n cwrso ci rhyw deulu bach
A'n chwaer 'di stwffio'r byd i waelod sach.

Mae'r gegin gyfan, bron, yng nghefn y fan
A chotiau glaw 'di stwffio i bob man.
Mi gofion nhw bob dim, ond le dw i?
Yn eistedd yn fy llofft 'nôl yn y tŷ!

Teigr yn y gegin

Yn y gegin mae hi'n deigr,
Yn y llofft mae hi'n llew,
Yn yr ardd mae hi'n ystwyth,
O dan do mae hi'n dew.

Mae hi'n neidio fel piwma
Wrth weld hosan neu bry,
Ond ar ôl cael ei bwydo,
Mae fel clustog mawr du!

Mae hi'n wyllt ac yn addfwyn,
Does 'na'r un yr un fath.
Ie, teigr mewn cegin
Ydi Modlen y Gath!

Lliwiau lleoedd

Gors Goch –
Brain croch
Uwch brwyn crin.

Ffos Ddu –
Talcen tŷ,
Murmur tawel.

Parc Glas –
Porfa fras
Dan y gorwel fry.

Ffynnon-lwyd –
Arogl bwyd,
Atgofion byw.

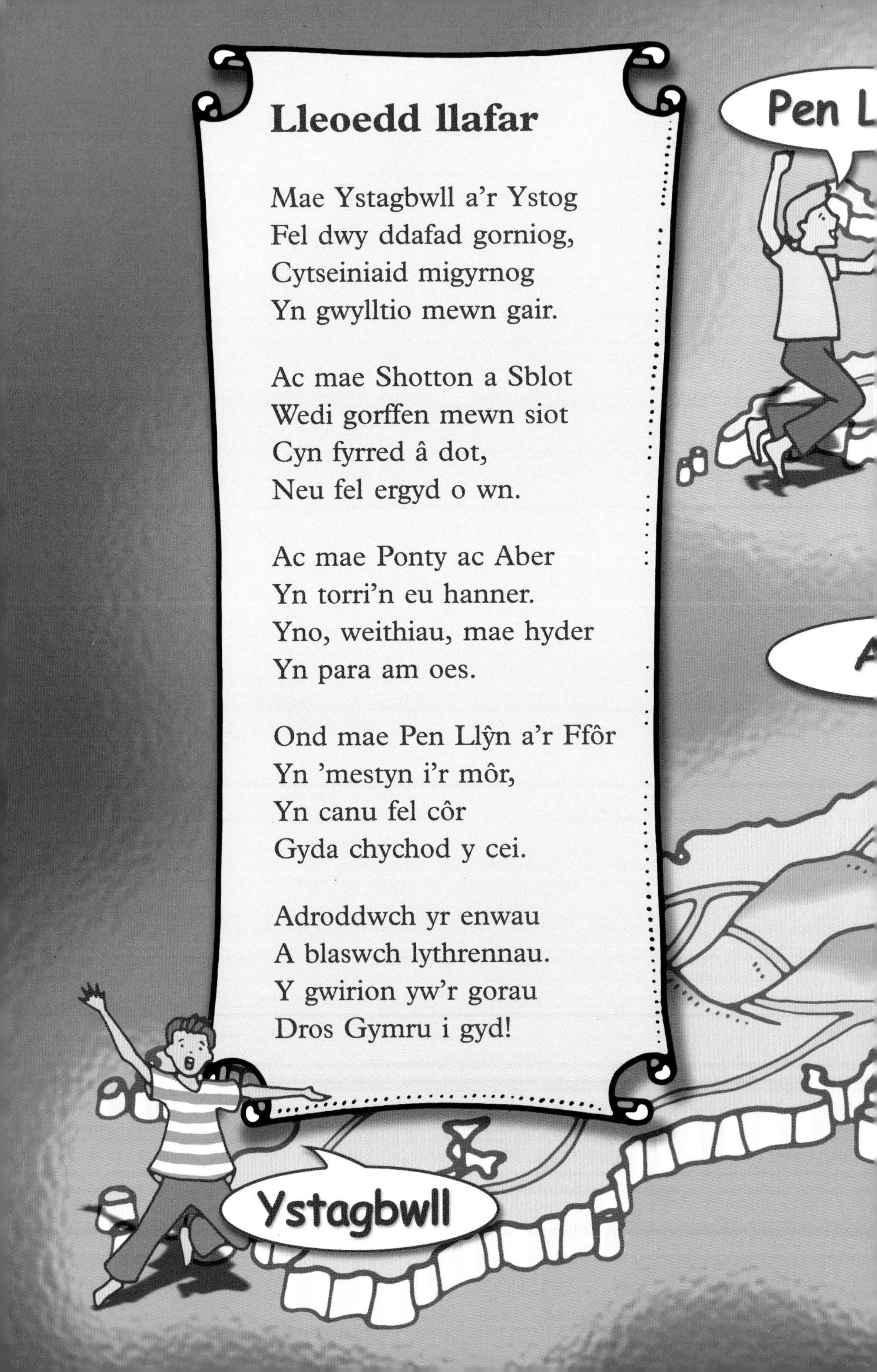

Lleoedd llafar

Mae Ystagbwll a'r Ystog
Fel dwy ddafad gorniog,
Cytseiniaid migyrnog
Yn gwylltio mewn gair.

Ac mae Shotton a Sblot
Wedi gorffen mewn siot
Cyn fyrred â dot,
Neu fel ergyd o wn.

Ac mae Ponty ac Aber
Yn torri'n eu hanner.
Yno, weithiau, mae hyder
Yn para am oes.

Ond mae Pen Llŷn a'r Ffôr
Yn 'mestyn i'r môr,
Yn canu fel côr
Gyda chychod y cei.

Adroddwch yr enwau
A blaswch lythrennau.
Y gwirion yw'r gorau
Dros Gymru i gyd!

Y Ffôr
Shotton
Yr Ystog
er
Ponty
Sblot

A welsoch chi?

A welsoch chi lew yn llithro ar rew?
Naddo, siŵr.
A welsoch chi gath yn gwneud yr un fath
â rhiain y dŵr?
Naddo, siŵr.

A welsoch chi arth yng Ngwaelod-y-garth
Do, wir?
A welsoch chi siarc yng Nghoedlan-y-parc
Yn tyllu'n y tir?
Do, wir?

Chwarae yn yr eira

I ble'r ei di, arth wen,
A'r llwybrau'n diflannu?
Cymer ofal, arth wen,
Sŵn yr hollt sy'n taranu.

I ble'r ei di, arth wen,
Gan faglu a llithro?
Cymer ofal, arth wen,
Mae'r rhew yn teneuo.

I ble'r ei di, arth wen,
Pan ddaw'r dŵr dros y tir?
Cymer ofal, arth wen,
Cymer ofal, wir.

Sbŵci

(ar ôl darllen 'Spooky', gan Sampurna Chattarji)

Cysgod brigau noeth y coed
Fel gwe'r pry copyn mwya 'rioed.

Sbŵci!

Gweld cysgod yn yr oriau mân
Lle na bu cysgod 'rioed o'r bla'n.

Sbŵci!

Deffro ganol nos gan weled
Drws y wardrob yn gilagored.

Sbŵci!

Lamp yn goleuo, yna'n diffodd,
A goleuo eto, rywfodd.

Sbŵci!

Tŷ ar ben y bryn yn olau
Er bod y lleuad dan gymylau.

Sbŵci!

Llaw ar dy ysgwydd . . . anadl . . . ust!
A llais yn sibrwd yn dy glust,

'Ssssbŵŵŵŵciiiiii!'

Siopa

Diflas iawn yw bod mewn troli
Yn hedfan rownd y siop.
Mynd rownd a rownd a rownd a rownd –
Mae'n siwrne hir, ddi-stop.

Ond pan fo'r siopa'n ormod
Dwi'n gwybod beth i'w wneud,
Mi ddweda' i wrthoch chi, o-ce?
Mond ichi beidio â dweud.

Pan fydd fy mam yn troi ei chefn
Dwi'n estyn am yr ham,
A phowdwr golchi, iogwrt, plwms,
Caws glas a jariau jam.

Cyn bod fy nhad yn sylwi
Dwi'n cydio mewn gwm cnoi,
Pinafal, cnau a menyn,
Ac yn eu taflu'n glou

I gefn y troli'n daclus,
Mae'n hwyl a sbri go iawn.
'Sdim syniad gan fy mam a 'nhad
Pam mae eu bagiau'n llawn!

Afon Dyfi

(gyda diolch i blant ysgolion y fro)

Mor hir â weiren,
Llithrig fel llysywen.

Troellog fel neidr,
Mor gyfrwys â lleidr.

Mwdlyd fel mwydyn,
Clymog fel cortyn.

Sgleinio fel rhuban
O linyn arian.

Sŵn fel beic modur
Dideimlad, digysur.

Mae'n creu ar dir Cymru
Siâp hen goeden deulu.

Hi fu'n llarpio'r mynyddoedd
Drwy gydol yr oesoedd.

Cario'r cerrig a'r meini,
Wna'r hen afon Dyfi.

Yr amgueddfa

Mae llwch ar wydr
Y cypyrddau,
Ôl bysedd y blynyddoedd yn drwm, drwm.
Lle bu plant a phlant eu plant
Yn pwyntio
At esgyrn sychion
Ac anifeiliaid llonydd.
Hen bapurau fel dail yr hydref
A darnau o bethau wedi hen ddod i ben
Gawn ni fynd ’nôl i’r bws?

Cyn gadael, rwyt ti'n edrych
I fyw llygaid y dylluan
Lonydd,
Mesur dy law yn erbyn ôl troed
Y tyranosorws,
Gweld golau'n
Fflachio ar gwlwm y gemwaith,
Ac mae bysedd yn sgwennu'r straeon
Yn llwch y cypyrddau,
A'r bws yn bell.

Hen Fodryb Lil

Mae Modryb Lil yn naw deg oed,
Yn hŷn na llawer iawn o goed!

A phan oedd hi
Yr un oedran â chi,
Doedd 'na ddim trydan,
Roedd y tŷ bach tu allan,
Dim *mobiles*, dim Wi-Fi,
Dim iPads, dim hi-fi,
Dim iPods bach gwynion,
Dim cyfrifiaduron,

Dim rhewgell chwaith, na micro-don,
Ac roedd y radio'n newydd sbon!

Mi welodd hi'r Ail Ryfel Byd
A'r Cwpanau Byd i gyd,
Wal Berlin yn cael ei chodi
Ac enwogion yn priodi,
Ciosg coch i ddal y ffôn
Yn cael ei godi 'mhen y lôn
Ac yna'n cael ei dynnu lawr
Pan ddaeth y we fyd-eang fawr.
Yr awyrennau fry uwchben
A'u llwybrau'n croesi yn y nen.
Cerddodd hi i bob un man
O'i milltir sgwâr, gan wneud ei rhan.

Be fyddwch chi 'di gweld, 'sgwn i,
Yn nwy fil a naw deg tri,
Pan fyddwch chi yn naw deg oed,
Yn hŷn na llawer iawn o goed?

Limrig

Aeth Aneirin a Bob o Dŷ'n Llan
I'r Ariannin ac Wsbecistan,
  Saskatŵn ac Alaska,
  Niger a Nebraska,
Ond mi ddaethon nhw'n ôl yn y man.